Textes intégraux

Conception graphique : Frédérique Deviller et Flammarion

Tous droits réservés pour les auteurs et illustrateurs que nous n'avons pu joindre.

Éditions Flammarion (n° L.01EJDN000769.N001)
87, quai Panhard-et-Levassor, 75647 Paris Cedex 13
www.editions.flammarion.com
Dépôt légal : juin 2012 – ISBN : 978-2-0812-6397-0
Imprimé en Asie par Toppan en mars 2012
Loi n° 49-956 du 16 juillet 1949 sur les publications destinées à la jeunesse

Petites histoires du Père Castor

Vive l'école !

Père Castor ● Flammarion

1.

24 petites souris vont à l'école

Magdalena, illustrations de Nadia Bouchama

Les vacances sont finies. Maman Souris range au grenier pelles, seaux et râteaux, car bientôt il ne fera plus chaud.

Dans leur chambre, les 24 petites souris trient leurs affaires : ciseaux, trousses, livres, cahiers, feutres et stylos... Quel bazar !

Papa Souris sort des malles cartables et sacs à dos.
Les petites souris essaient, s'échangent et se disputent les sacs les plus beaux, les sacs les plus gros.

Pour fêter la prochaine rentrée, Mamie Albertine a tricoté un nouveau manteau rigolo, à poils et à frisettes, à chacune des 24 petites souris. Il faut les essayer...

C'est un peu la cohue dans la maison des souris.

Maman Souris a préparé un bon repas de galettes, de soufflés au fromage et de crèmes fouettées à la gelée de mûres, pour régaler ses 24 petites souris.

Celles-ci font un peu la tête, car les vacances sont finies.

Quand il est l'heure d'aller au lit les plus grandes sont excitées et font mine de se cacher, les plus petites sont inquiètes et refusent de s'endormir.

– Demain, c'est la rentrée, dit Maman Souris.
Tout le monde doit se coucher tôt pour se lever de bonne humeur !
Mais avant d'aller au lit, venez avec moi, j'ai une surprise…

Maman ouvre une belle boîte toute ronde, et dit :
– J'ai un cadeau pour chacune d'entre vous.

Regardez ce que j'ai préparé cet été, pendant que vous dormiez.
– Oh ! comme c'est beau ! s'écrient les 24 petites souris émerveillées.
– On offre ce cœur quant tous les enfants vont à l'école, et que
même le plus petit quitte les jupes de sa maman pour devenir
grand !

Maman Souris distribue les cœurs de feutrine rouge, brodés d'initiales.

– Gardez-le dans votre poche, il vous donnera du courage et de la force. Voyez celui que Mamie Albertine avait brodé pour moi, il est un peu usé, mais il ne m'a jamais quittée.

– Et maintenant, bonne nuit mes chéries! dit Maman Souris en bordant les 24 petites souris. Dormez bien, et faites de beaux rêves.

Le lendemain matin, dans leurs nouveaux habits, les 24 petites souris partent joyeusement sur le chemin de l'école. Elles n'ont peur de rien. Maman Souris marche en tête et chante :

En avant mes enfants,
les petits comme les grands,
l'école vous attend.

Et quand Maman Souris repart chez elle, toute seule, elle serre bien fort son cœur de feutrine rouge dans sa main.

2.

Anatole change d'école

Pierre Coran, illustrations de Philippe Diemunsch

Anatole est boudeur. Il a la brume au cœur. Depuis quelques jours, Anatole a changé d'école. Ses parents ne semblent pas inquiets.
– Je te comprends, lui dit Maman.
– Ça te passera! lui dit Papa.
Facile à dire! Vous vous plaisez dans une classe. Vous avez des copains, des copines, une maîtresse que vous aimez bien, d'autres copains que vous aimez moins.

Mais ils sont là autour de vous.

Puis, du jour au lendemain, vous changez d'école.

Vous arrivez dans une cour où vous ne connaissez personne. C'est la galère !

Le matin, Maman dépose Anatole devant l'entrée de la nouvelle école. Elle l'encourage :

– Bonne journée, mon chéri !

Tu parles d'une journée !

Dans la cour, Anatole se sent seul comme un cerf-volant qui plane dans le ciel sans vent et sans ficelle.

À l'école d'avant, les murs étaient fleuris.

Ici, ils sont remplis de graffitis.

À l'école d'avant, madame Sylvette, la maîtresse, était habillée comme un mannequin de mode. Elle jouait du piano, même en fermant les yeux. C'était beau !

Quand elle dirigeait la chorale, elle agitait les bras. Elle ressemblait à un grand oiseau qui veut toujours s'envoler, mais n'y parvient jamais. C'était rigolo !
La classe chantait *Frère Jacques*, *À la claire fontaine*, *Sur le pont d'Avignon*, et bien d'autres chansons. Anatole était un des bons chanteurs de la chorale, peut-être le meilleur.

À la récréation, Anatole glissait sur le toboggan, il grimpait sur des engins, il jouait à la balle au mur. C'était chouette !

Ici, les élèves font du foot avec un ballon mou.
Les grands shootent n'importe où. Anatole n'est pas très adroit.

Il rate souvent le ballon, il tombe sur le derrière. Des filles pouffent en le voyant par terre.

Anatole se désole. Ses joues ont la couleur des poissons de l'aquarium.

À la cantine, les grands l'appellent *Nat*. Ça rime avec patate, avec tomate au mieux. Anatole est furieux, surtout contre le petit Robert.

C'est un vaniteux, le petit Robert. Il se fait appeler *Bob*. Comme il joue bien au foot, il veut être le chef de la bande des grands. Il prétend qu'Anatole est une chiffe molle.

Anatole se défend. Avant-hier, il a crié au petit Robert qu'il a une tête de dictionnaire. Robert n'a pas compris. Depuis, il se méfie d'Anatole. Il lui tire la langue, lui fait des yeux méchants, tel un serpent de zoo qui pique une colère. Anatole fait semblant qu'il s'en fiche. Anatole frime. Il n'aime pas se chamailler, ça le rend triste.

Dans la classe d'avant, chacun avait sa table et sa chaise. Ici, on est assis par deux.

Depuis hier matin, Anatole a une compagne de table. Nathalie a les cheveux courts et des petits yeux qui rient. Elle vient d'Orient, d'un pays où les gens ont la couleur dorée des feuilles en automne.

Nathalie connaît tout par cœur : l'alphabet, les conjugaisons, le nom des fleurs, les additions, les centimètres, les kilos et les couleurs de l'arc-en-ciel. Elle sait même lire l'heure sur une montre qui a des aiguilles. Sur l'ordinateur de l'école, Nathalie a tapé au vol : *Bienvenue Anatole !*

Le petit Bob est jaloux. Il passe et repasse devant Nathalie, il lui offre des bonbons, un porte-clefs ballon et des autocollants de la Coupe du Monde.

Nathalie les refuse. Elle lui crie, l'air coquin :
– Je ne collectionne que les méduses.

Le petit Bob n'apprécie pas qu'une fille le taquine. Il lui fait des pieds de nez. Mais Nathalie s'en moque.

Dans la salle de lecture, Nathalie se place près d'Anatole. Ils lisent le même album, ils se parlent tout bas. Tous deux rient en cachette.

Le petit Bob est de plus en plus jaloux. Il embête Anatole, le bouscule, lui fait un croche-pied. Il lui chipe son cartable, son sac de gym, les vide dans l'escalier, ou du côté des toilettes.

Anatole n'a pas peur de Bob. Il lui montre les dents comme le chien de la boulangère quand il aperçoit le facteur.

Nathalie console Anatole, l'embrasse sur les joues, l'embrasse sur le nez. Ses baisers sont aussi légers qu'une coccinelle posée sur une main.
En classe ou dans la cour, ils ne se quittent plus.

Tous deux trouvent géniale la maîtresse Chantal. Elle arrive casquée, en polo et baskets, un jour à V.T.T., un jour à Mobylette. Elle dit des poèmes au son d'un tambourin. La classe fait de même en tapant dans les mains. *Le bon Roi Dagobert*, mis en rap, c'est super.

Hier après-midi, le petit Bob a chanté faux. La maîtresse, en l'entendant, s'est bouché les oreilles. La classe a ri de Bob. Pas Anatole. Bob, étonné, l'a regardé droit dans les yeux. Anatole lui a souri. Bob a souri aussi.

Depuis, il semble moins jaloux. Parfois même, il se montre sympa.

Bob ne lance plus le ballon mou vers Anatole. Il partage ses bonbons et ses autocollants. Comme dit Nathalie, Bob a repeint son cœur.

Le matin, maintenant, Anatole ne boude plus. Il ne traîne plus au lit, il se lave avec soin les dents et les cheveux. Il se montre pressé de partir à l'école.

Maman est épatée, et Papa l'est aussi. Ils ne comprennent pas pourquoi leur Anatole raffole tout à coup de sa nouvelle école. Maman soupçonne Anatole d'avoir une raison qu'il ne dit à personne.

– C'est parfaitement son droit ! dit Papa.

Maman ne se trompe pas. Mais ni elle ni Papa ne peuvent deviner que Nathalie est le secret, le secret qu'Anatole cache le mieux qu'il peut et ne partage pas, hormis avec son chat.

3.

Rentrée sur l'île Vanille

Agnès Bertron-Martin, illustrations de Sophie Mondésir

À Tahaa, dans l'île où pousse la vanille, vit une petite fille qui s'appelle Vaïmiti. Ce matin, elle doit partir à l'école pour la première fois.

Sa famille est rassemblée sur les marches de la terrasse pour la regarder s'éloigner le long de la plage !

Son père lui dit :

– C'est un grand jour, aujourd'hui, Vaïmiti! À l'école, tu vas apprendre à peindre avec toutes les couleurs éclatantes de notre vie !

Sa mère lui dit :

– Vaïmiti, tu as de la chance! À l'école, tu vas apprendre à danser le «tamouré» et à chanter les airs de Polynésie qui sont la gaieté de notre vie.

Son grand frère, Teïki, lui dit :

– Vaïmiti, à l'école, regarde bien autour de toi. Et, si ton cœur se met à cogner très fort, c'est peut-être parce que tu auras rencontré un ami…

Mais Vaïmiti secoue la tête comme une noix de coco qui va tomber :
– Je ne veux pas aller à l'école ! Pas question ! Je ne veux ni peindre,
ni danser, ni rencontrer des amis ! Je n'irai pas ! Je préfère nager
jusqu'à l'île aux oiseaux et plonger dans le lagon avec les poissons !

Vaïmiti pose une couronne de fleurs sur sa tête et elle part en
tournant le dos à l'école.

Son père la rattrape et l'oblige à s'asseoir. Il trace des signes dans
le sable pour lui expliquer qu'elle doit aller à l'école !
Mais Vaïmiti ne veut rien regarder !

Sa mère la prend dans ses bras. Elle
lui masse le front et lui murmure
une chanson pour la calmer.
Mais Vaïmiti ne veut rien écouter!

Alors Teïki fait sa tête de sorcier et il tourne autour d'elle
comme un guerrier pour l'effrayer!
Mais Vaïmiti éclate de rire.
Elle énerve tellement sa famille que tous crient et
menacent de lui donner une bonne fessée!

Tahitou est une vieille femme pleine de sagesse qui parle aux
arbres, écoute le vent et rit souvent. Elle vit seule dans un petit «faré»
couvert de feuilles de cocotier, sur le bord de la plage.
Tahitou est la marraine de Vaïmiti… et Vaïmiti est ce qu'il y a de plus
important dans sa vie!

Ce matin, Tahitou est sur sa terrasse. Elle presse des citrons
verts pour faire mariner son poisson. Quand elle voit
Vaïmiti qui se débat, elle n'hésite pas une seconde. Elle
court aussi vite que le lui permettent ses grandes
jambes maigres et elle ordonne :
– Laissez cette petite tranquille! Qu'a-t-elle fait
de si terrible?
Le père de Vaïmiti est très en
colère :
– Cette petite chipie de Vaïmiti
ne veut pas aller à l'école! Elle
se sauve le jour de la rentrée!

Tahitou éclate de rire :

– Ah, ah, ah! Je comprends tout! C'est de ma faute, j'ai oublié de lui donner son cadeau! Viens, Vaïmiti!

Vaïmiti aime beaucoup sa marraine et elle aime aussi beaucoup les cadeaux. Alors, elle suit Tahitou sans faire d'histoires.

Tahitou ouvre son armoire en bambou. Elle sort un petit cartable en peau de requin, avec une fermeture de coquillage.

– Écoute bien ce secret! dit-elle à Vaïmiti en chuchotant. Ce cartable est magique! Il est dans ma famille depuis des années et, comme je n'ai pas d'enfant, c'est à toi que je l'offre. C'est mon cadeau pour ta rentrée.

Vaïmiti aime beaucoup sa marraine, mais elle se dit que Tahitou exagère. Comment ose-t-elle lui raconter des histoires de bébé?
Un cartable magique, ça n'existe pas. Vaïmiti sait ça!
Mais elle fait tout de même un gros baiser à Tahitou, parce qu'elle trouve le cartable très joli.
Quand elle l'ouvre, Vaïmiti découvre à l'intérieur une robe bleue avec de grands oiseaux blancs et un drôle de pinceau, taillé dans du bois rouge.
Vaïmiti enfile la robe aux oiseaux. Son cartable à la main, elle fait semblant d'aller à l'école, pour faire plaisir à sa marraine.

Mais, pendant que personne ne la regarde, Vaïmiti grimpe dans un manguier et se met en boule pour se cacher. La maîtresse, très intriguée par cette tache bleue dans l'arbre, s'approche.
Vite, Vaïmiti ouvre le cartable et glisse sa tête à l'intérieur.
« Si seulement je pouvais être petite comme un oiseau-mouche, pour que la maîtresse ne me voie pas...! »

À peine a-t-elle dit cela que, magie ! Vaïmiti rétrécit, rétrécit…
Et, toute minuscule, elle se cache dans le cartable.

La maîtresse dit :
– Tiens, j'ai dû rêver, la tache bleue a disparu !
Et elle repart vers l'école.

Mais voilà Ranéa, qui passe sous l'arbre avec sa bande.
– Eh, regardez ce cartable ! Ma parole, c'est une sterne qui l'a perdu !
Allez, il sera au premier qui l'attrapera !
Vaïmiti n'a pas du tout envie de se retrouver écrabouillée par ces
galopins.
« Si seulement je pouvais voler et m'échapper de là ! »

À peine a-t-elle dit cela que, magie !
le cartable se gonfle comme une voile
de bateau au-dessus de sa tête !
Alors Vaïmiti saisit la poignée et elle
descend doucement dans les airs.

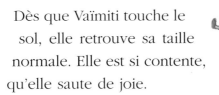

Dès que Vaïmiti touche le
sol, elle retrouve sa taille
normale. Elle est si contente,
qu'elle saute de joie.

Et la maîtresse la voit bien, cette fois, avec
sa robe bleue dans le soleil !

Elle vient vers elle et lui prend la main :
– Bonjour, je m'appelle Hinano. Et toi ?
– Vaïmiti.

Vaïmiti est furieuse car la maîtresse
l'entraîne vers l'école.

Voilà, Vaïmiti est dans la
classe avec les autres.
Hinano dit :
– Nous allons peindre !

Vaïmiti est très inquiète. Sa peinture va être affreuse, c'est sûr !
Et les autres vont rire si fort, que leur rire résonnera sur toute l'île.
Mais elle se souvient du pinceau rouge. Alors, elle se penche pour
le prendre dans le cartable.

« Si seulement je savais peindre les poissons du lagon ! »

À peine a-t-elle dit cela que, magie ! Le pinceau court sur
le papier en entraînant la main de Vaïmiti !
Et voilà des poissons bariolés qui prennent forme. Ils sont si bien
peints qu'ils paraissent nager.

– Bravo Vaïmiti, très réussi !
Vaïmiti est heureuse de ce qu'a dit Hinano. Alors, elle commence
à peindre tout ce qu'elle aime.
Des fleurs, des crabes… Et elle le fait avec tant d'énergie
que, cette fois, c'est le pinceau qui obéit.

Ensuite, la maîtresse met de la musique. Mais Vaïmiti ne veut pas danser. Elle a peur de s'emmêler les pieds. Ses jambes tremblent comme si un requin allait la dévorer.

Elle serre dans ses bras son cartable et soupire.

« Si seulement je savais virevolter comme les sternes de l'île aux oiseaux ! »

À peine a-t-elle dit cela que, magie!
les oiseaux de sa robe battent des ailes
et soulèvent la robe de Vaïmiti.
La robe bleue se met à danser, elle fait
tournoyer Vaïmiti!
Hinano la félicite.
– Comme tu es légère, Vaïmiti!

Vaïmiti est contente. Elle a vraiment envie
de danser. Alors quand la musique
change et se met à cogner à grands
coups cadencés, Vaïmiti tape des
pieds avec tant d'énergie que, cette fois, c'est la robe qui obéit.

À l'heure de la récréation, Vaïmiti a le temps de regarder les autres enfants autour d'elle.

Elle remarque une petite fille, toute seule, appuyée contre un gros rocher. Vaïmiti voit qu'elle a les genoux qui tremblotent et qu'elle a peur d'aller jouer.

Vaïmiti aimerait bien lui parler, mais elle n'ose pas.

Elle cherche dans ses poches un morceau de mangue salée à lui offrir, mais ses poches sont vides.

Alors Vaïmiti serre très fort son cartable dans ses bras.

« Si seulement j'avais quelque chose à partager avec cette petite fille, j'irais vers elle et je lui parlerais ! »

Mais cette fois, pas de magie. Les poches de Vaïmiti sont toujours vides. Et elle sent son cœur qui cogne à grands coups !

Alors, elle pose son cartable. Et, toute seule, sans magie, sans magie du tout, elle va joyeusement vers cette petite fille.
Parce qu'elle a tellement envie de devenir son amie !

4.

On a changé la maîtresse

Magdalena, illustrations de Maria Sole Macchia

Maîtresse Poularde a du poil au menton, et un manteau bien trop long. Elle est si sévère qu'elle regarde tout le monde de travers. Maîtresse Poularde n'est pas drôle du tout.

Pas le droit de parler, pas le droit de gigoter! Interdit de se lever, interdit de rigoler.

La classe est triste comme tout. Pas de dessins accrochés, pas de fleurs, pas de musique, pas de bruit.

On croirait la classe endormie par un mauvais sort.

Mais voilà qu'aujourd'hui Maîtresse Poularde est absente! Dans la cour, les élèves dansent de joie en attendant la remplaçante.

Mademoiselle Cygne se présente. Elle a la voix comme une caresse, et des yeux doux comme du velours. La classe fond en la regardant.

Mademoiselle Cygne ne crie pas. Quand elle raconte une histoire, personne ne bouge.

Mademoiselle Cygne est si légère, qu'elle s'envole quand elle saute dans la piscine avec ses élèves.

Mademoiselle Cygne est si jolie dans son tablier fleuri, quand elle fait de la peinture… et tant pis pour les éclaboussures.

Mademoiselle Cygne est si gentille : quand elle soigne les petites blessures, elle souffle toujours sur les égratignures.

Au bout d'un mois, la classe est transformée. Elle a pris un air de fête, les murs sont décorés, des fleurs poussent aux fenêtres. Mademoiselle Cygne est une bonne fée qui fait oublier le passé.

Quand Maîtresse Poularde revient, les parents sont furieux, les enfants font la tête.

Et Mademoiselle Cygne prépare ses adieux, les larmes aux yeux.

Alors Maîtresse Poularde réfléchit, fait demi-tour et dit :
– Je vois que ma place n'est plus ici ! Je vais changer de vie. C'est décidé, je pars en voyage à l'autre bout de la Terre, trouver pourquoi j'ai si mauvais caractère !

Maîtresse Poularde a envoyé une photo d'elle à ses anciens élèves, on ne la reconnaît plus en compagnie de plein de petits : elle sourit, elle est même devenue jolie. Elle a écrit :
– Je crois que l'amour m'a guérie ! Je ne serai plus jamais comme avant !

Maîtresse Poularde est même devenue gentille car, dans le colis, elle a mis des petits cadeaux rigolos pour tous les enfants.

5.

Les lacets de Valentin

Emmanuel Bourdier, illustrations de Madeleine Brunelet

Valentin a le pied sur le banc de la cour. Son lacet est encore défait. Ça fait trois fois aujourd'hui. Et c'est encore madame Willy qui refait le nœud. Elle n'est pas contente.

– Valentin, si tu veux aller à la grande école l'année prochaine, il faut apprendre à faire tes lacets !

Valentin ne répond pas. Valentin ne veut pas apprendre à faire ses lacets. Valentin a peur d'aller à la grande école.

Tous les soirs, en suivant Maman jusqu'à la voiture, Valentin passe devant la grande école.

Et tous les soirs, Valentin voit des choses qui lui font peur.

Les grands sortent de la cour en bondissant. Tout seuls. Sans leur maman. Ils parlent fort. Ils ont des grands pieds.

Dans la cour, il n'y a pas de bac à sable, pas de toboggan, pas de poubelle en forme de grenouille. Et dans les classes, il n'y a qu'une seule maîtresse.

Tous les soirs, Valentin serre fort la main de Maman.

Dans la classe, le meilleur ami de Valentin s'appelle Léo. Lui non plus ne sait pas faire ses lacets.

Valentin aime bien Léo.

Léo dit à Valentin des choses horribles sur la grande école.

Il paraît qu'on écrit toute la journée.

Il paraît qu'on lit des gros livres sans images.

Il paraît qu'à la piscine, on nous jette dans le grand bassin.

Il paraît que dans les placards, il y a des monstres poilus.

Valentin n'aime pas les monstres poilus.

Aujourd'hui, la maîtresse a l'air contente.

– Les enfants, j'ai une grande nouvelle. Demain nous irons passer la journée avec les CP. Demain, vous visiterez la grande école.

Tous les enfants de la classe sautent et hurlent de joie.
Tous, sauf Valentin et Léo.

Le soir, Valentin n'arrive pas à dormir. Il pleure. Maman le console,
elle lui dit que Léo lui a raconté des bêtises. Elle lui dit que c'est
bien le CP. Valentin pleure. Maman se fâche un peu.
– Mais Valentin, qu'est ce que tu veux? dit Maman.
– Je veux des chaussures sans lacets, répond Valentin.

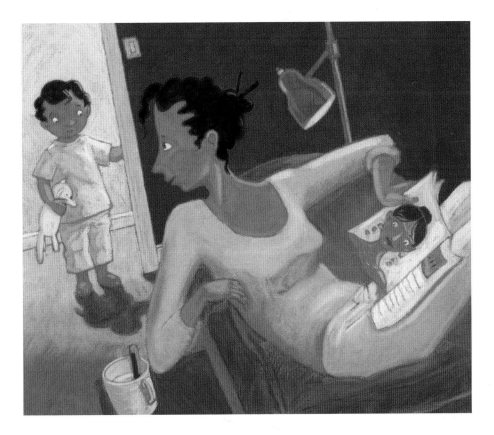

Valentin ne veut pas apprendre à faire ses lacets.
Valentin a peur d'aller à la grande école.

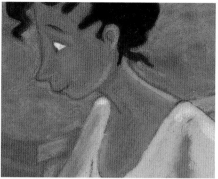

Valentin a mis ses bottes en plastique.
Il n'a pas mangé son petit déjeuner.
Valentin a un nœud dans le ventre.

Ça y est. Valentin entre dans la cour des grands. C'est la récréation.
Il trouve que la cour est grande, que la cour est belle.
Soudain, Valentin reconnaît Jules, son voisin.
Il joue au foot. Jules est très gentil. Jules joue souvent avec Valentin
après l'école. Jules est en CP.
Jules fait signe à Valentin et à Léo de venir jouer au foot avec lui.
Valentin et Léo sont heureux. Ils vont jouer avec les grands.
Léo court vers le ballon. Mais il marche sur son lacet défait.

Léo décolle.
Léo retombe.
Léo est sur les fesses.
Tout le monde rit.
Valentin aussi.

Ce soir, en rentrant à la maison, Valentin demandera à Maman de lui apprendre à faire ses lacets. Valentin adore la grande école.

6.

Une rentrée magique

Kochka, illustrations de Claire Delvaux

C'est bientôt la fin des vacances, et chez Rita l'angoisse monte.
– Ma chérie, tu es grande maintenant, dit Maman. Tu dois aller au CP, à l'école des grands !
Mais Rita n'en a pas envie. Elle trépigne, et elle fronce les sourcils.
– Tu sais, tu ne seras pas seule, ajoute Maman. Il y aura Apolline, Tida et Charline. Et il y aura aussi Garence et la toute petite Marie.

Et puis tu vas bientôt apprendre à lire !
– Ça m'est égal, je n'irai pas ! dit Rita.
Et, affichant sa tête de cochon, elle part
grogner dans sa chambre.

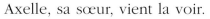

Axelle, sa sœur, vient la voir.
Axelle est grande. Elle est déjà au collège.
– Toc toc toc ! Rita, c'est moi ! Je peux entrer s'il te plait ?
Rita ouvre sa porte, et se jette dans les bras d'Axelle.
– Oh ! là, là ! dit Axelle, qu'est-ce qui t'arrive, ma noisette ?
– C'est à cause du CP, Axelle. Je ne veux pas changer d'école ! Je
ne veux pas apprendre à lire !
– Chuuut ! Tu ne sais pas ce que tu dis…, chuchote sa grande
sœur.
Axelle s'assoit en tailleur.
– Tu me fais confiance, Rita ?
– Ben oui, lui répond Rita.
– Alors, essuie tes yeux, et assieds-toi près de moi.

Rita essuie ses yeux, et s'installe à côté d'Axelle.

– Écoute-moi bien, dit Axelle. Je vais te dire un secret. Voilà, murmure-t-elle, lire… ça donne des pouvoirs magiques !

– Quoi ? Qu'est-ce que tu dis ? demande Rita.

– Je dis, reprend Axelle, qu'en CP, tu vas devenir une magicienne !

– N'importe quoi ! grommelle Rita.

– Pourtant, je t'assure que c'est vrai, dit Axelle. Quand on sait lire, le soir, on fait une tente dans son lit. Ensuite on prend une torche, et un livre. Et POUF ! on fait apparaître tout ce qu'on lit !

Mais Rita n'y croit pas du tout. Elle veut des explications.

Axelle se relève au milieu de la petite chambre verte ; elle fait des grands gestes avec ses bras.

– Voilà, c'est simple, dit-elle. Si l'histoire se passe dans un château fort bâti quelque part sur une montagne lointaine, alors, grâce à la torche et à tes yeux, POUF ! sous le drap, le château fort apparaît !

– Mais c'est impossible, dit Rita. Les lits sont trop petits. Il n'y a pas assez de place.

– Pourtant, répète Axelle, c'est ça la magie des livres !...

Et elle lève sa main droite avec sérieux :
– Croix de bois, je te le promets Rita !

Deux jours plus tard, c'est la rentrée.
Rita s'habille rapidement, se coiffe, et prépare son cartable.
– Axelle, ta rentrée à toi, c'est demain ; alors tu nous accompagnes ?
– Bien sûr ! répond Axelle à Rita. Car c'est un très grand jour, n'est-
ce pas ?

Devant la porte de l'école, il y a déjà une foule.
Maman, Axelle et Rita se glissent jusqu'au panneau d'affichage.
– Tu es en CPa ! annonce Maman lorsqu'elle parvient devant la liste
des noms.
Puis elle ajoute :
– Tu es avec Apolline, Tida, Marie, et même Garence et Charline !
C'est super, tu ne trouves pas ?
– Oui, c'est bien, répond Rita avec une toute petite voix.

Axelle se penche, et lui glisse
à l'oreille :
– Ta maîtresse s'appelle
Sophie Abradi. C'est un
drôle de nom… À mon
avis, il est parfait pour
un professeur de
magie !
– Tu crois ? lui
demande Rita.

– Fais-moi confiance, je ne me trompe pas, dit Axelle.

Maintenant, Maman déclare que c'est l'heure. Toutes les trois
s'engagent alors dans le flot des gens qui entrent dans l'école.
Le porche est grand et, tout d'un coup, Rita ne se sent plus si
courageuse. Mais heureusement, voilà Marie avec ses parents.
– Bonjour Rita ! dit Marie.
– Oh ! Bonjour Marie ! répond Rita. Tu as vu, on est dans la même
classe !
– Oui, je sais, dit Marie en prenant la main de Rita.

Et elle ajoute :
– Ne nous lâchons pas. Il y a plein
de grands et d'inconnus par ici.
Dans le préau, tous les enfants de
CP attendent avec leurs parents.

De leurs yeux vifs, Rita et Marie repèrent leurs petites copines.

– Venez, venez ! crient-elles à Tida, Garence, Apolline et Charline.

Un peu plus tard, la cloche sonne. Le directeur fait son entrée, accompagné par un maître et quatre maîtresses.

– Bienvenue à tous ! dit-il. Nous sommes très heureux de vous accueillir les enfants. Mais je ne vais pas faire de longs discours ; je passe plutôt la parole à Sophie Abradi, maîtresse de CPa, qui est nouvelle dans notre établissement.

Une jeune dame s'avance en souriant.

– Bonjour ! dit-elle avec plein de gentillesse.

Puis elle appelle ses élèves.

Chaque enfant embrasse ses parents et s'avance.

Ensuite, avec un vrai savoir-faire de magicienne, la maîtresse fait régner le silence, et emmène tout son petit monde à la queue leu leu vers sa classe.

Le premier matin, il faut se présenter, et parler de l'organisation de la vie à l'école.

– Vous êtes des grands maintenant, dit Sophie, vous n'êtes plus en maternelle. Donc, je demande à chacun de lever la main pour parler, et d'attendre que je lui donne la parole. Est-ce que c'est bien compris ?

– Oui ! Oui ! Oui ! disent les enfants.

– Autre chose, dit la maîtresse. Dans la cour, quand la cloche sonne, on se range, deux par deux, à la queue leu leu ; et dans les escaliers, on se déplace en silence. Maintenant parlons du matériel qu'il y aura dans votre trousse…

Dès l'après-midi, Sophie Abradi leur apprend la lettre « a » que certains connaissent déjà.

– On la trouve dans « ami », dit-elle, et aussi dans « abeille »,
« abricot » et « alphabet ».

À la sortie, Maman est déjà là.
– Mon oiseau, est-ce que ça s'est bien passé ?
– Super ! lui répond Rita, et, tout en marchant, elle pense sans arrêt
à la lettre « a » qu'on trouve dans le mot « ami ».

Le soir, alors que Maman a éteint, Rita fait
une tente dans son lit.
Ensuite, elle prend une torche et un livre
et, avec son doigt, elle repère les lettres
« a ». Mais à part ça, rien n'apparaît !
Rita est bien embêtée.

Elle sort sur la pointe des pieds, et passe la tête dans la chambre
bleue de sa sœur.

– Axelle, dit-elle, ma maîtresse de CP est mauvaise : la magie ne marche pas !

Axelle se lève, et la ramène dans son lit.
– Tu es trop impatiente, Rita. On ne devient pas magicienne en un jour ! Il faut beaucoup travailler !

Rita est un peu déçue.
– Ne t'inquiète pas, et dors maintenant, ajoute Axelle. Parfois la nuit porte conseil…

Et Axelle couvre Rita, puis elle l'embrasse et s'en va.

Le lendemain, les rayons du soleil passent par les trous du volet, et Rita ouvre les yeux.
Aussitôt, elle découvre à ses pieds, un papier tout à fait particulier. C'est un papier qui semble avoir été découpé dans un livre de sorcière, ou bien dans un livre de fée.

Rita se précipite chez Axelle.
– Axelle, Axelle, qu'est-ce qui est écrit ? C'était sur ma couverture !
Axelle baille, et puis elle dit :
– Quand tu sauras lire toute seule la formule de ce papier, alors la magie pourra marcher.
– Ah ! bien… répond Rita.

Et elle retourne en courant dans sa chambre. C'est qu'elle doit trouver une cachette pour cet étrange papier découpé.

Ensuite, les jours et les semaines passent, et à l'école, Rita apprend à lire les lettres et les mots.
Chaque soir, en secret, Rita sort son papier découpé, et elle essaie de déchiffrer la formule qu'il contient.
Mais chaque soir, elle est arrêtée par des lettres un peu compliquées.
«Bon, je réessaierai demain», pense-t-elle sans jamais se décourager.
Et pleine d'espoir, elle replie son papier.

Ainsi l'automne passe, et les feuilles disparaissent…
Puis l'hiver arrive avec les chaudes écharpes et les pulls en laine.

Un soir, sous sa couverture, Rita sort le papier et, à sa grande surprise, petit à petit, avec son doigt qui avance comme une toute petite fourmi, elle parvient jusqu'au bout !
Elle lit :
Abracadabra pif paf pouf,
apparaît là, gros patapouf !

Folle de joie, elle pousse un cri de victoire, et elle court voir sa sœur.

– Axelle, Axelle ! J'ai réussi ! Écoute :

Abracadabra pif paf pouf, apparaît là, gros patapouf !

– Ouaou, bravo ! crie Axelle en la soulevant dans ses bras.

Puis elle la repose par terre, et ajoute :

– Cours dans ta chambre, et ferme les volets ! Ensuite, tu fais une tente avec tes draps, et j'arrive !

Une minute plus tard, Axelle rejoint sa sœur, ferme la porte derrière elle, et rentre à tâtons dans la petite chambre verte qui est devenue toute noire…

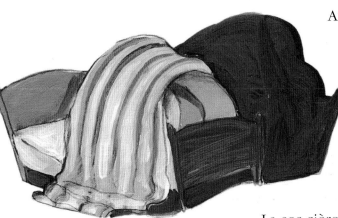

Axelle s'approche du lit, et elle se glisse sous le drap.

– Bien, dit-elle, alors maintenant, j'ouvre le livre et j'éclaire ; puis tu lis les phrases, et moi je les répète !

– La sor-cière Oul-ka é-tait a-ffreuse, déchiffre tout doucement Rita.

– La sorcière Oulka était affreuse, répète Axelle avec une voix très profonde.

– Sa mai-son é-tait té-né-breuse, continue tout doucement Rita.

– Sa maison était ténébreuse, répond Axelle avec une voix très profonde.

– On en-ten-dait les pas d'Oulka, poursuit Rita, et son nez re-ni-flait les rats.

– On entendait les pas d'Oulka, répète Axelle, et son nez reniflait les rats.

Mais à ce moment-là, une ombre avec des mains immenses entre dans la chambre, et se penche au dessus-du drap…

– Aaaaaaah ! hurlent Axelle et Rita, quand une grosse tête apparaît.

– Mais enfin, qu'est-ce qui se passe ici? demande Maman. C'est quoi ces cris de souris?

Axelle et Rita éclatent de rire.

– C'est à cause de la magie! dit Axelle.

– Oui, dit Rita. À cause d'elle, Maman, tu es devenue l'affreuse Oulka!

7.

Ma maîtresse est une ogresse !

Sylvie Poillevé, illustrations de Laurent Richard

Aujourd'hui, c'est la rentrée ! Thomas est terrorisé, mais… pas question de le montrer ! Il rentre tout de même chez les grands ! Et les grands… ça n'a peur… de rien !

Mais, chez les grands, il y aura une nouvelle maîtresse justement. Thomas panique… Et si elle était méchante ? Ce serait affreux, catastrophique !

Thomas boit lentement son chocolat au lait, traîne pour s'habiller…
Mais ses parents le pressent : il faut y aller!

Devant l'école, tout le monde se retrouve en attendant que les portes
s'ouvrent.
Mais Thomas est trop inquiet pour s'amuser. Il reste près de son papa
et de sa maman qui ont trouvé des amis à qui parler. Les parents
rient, les parents papotent et Thomas tremblote… Loin au-dessus de
sa tête, les mots s'envolent, se mélangent, s'entrechoquent…
– Elle croque la vie à pleines dents! dit l'un.
– C'est un monstre de travail! dit l'autre.

Thomas sursaute!
Croque… Dents… Monstre…
A-t-il bien entendu?

Mais bla-bla-bla… les parents continuent :
– Il paraît que cette maîtresse est toujours pleine d'allégresse !

Quoi? Cette fois-ci, Thomas en est sûr ! Il a bien compris !
La maîtresse est une ogresse !
Oh! là, là ! Thomas l'imagine déjà… gigantesque ! éléphantesque !
Et puis, et puis…

Thomas tremblote, et bla-bla-bla… les parents papotent !
– Ah! elle s'appelle Madame Toucru?

Quoi? Elle va le manger tout cru !
Oh! là, là ! Thomas s'imagine déjà… prisonnier de deux gros doigts
velus ! Et puis, et puis…

Thomas tremblote, et bla-bla-bla… les parents papotent !
– Le programme? Elle n'en fera qu'une bouchée ! dit l'un.
– C'est tout de même un changement dur à digérer ! dit l'autre.

Quoi ? Des enfants durs à digérer ?

Mais, c'est évident, si elle n'en fait qu'une bouchée !

Oh ! là, là ! Thomas l'imagine déjà… Mais pourquoi, pourquoi ses parents ne s'inquiètent pas ?

Thomas tremblote, tremblote, et bla-bla-bla… les parents papotent, papotent !

– Elle adore les enfants ! Ils seront vraiment aux petits oignons !

Quoi ? Elle adore les enfants, surtout avec des petits oignons ?

Berk ! Les oignons… Thomas a horreur de ça !

Oh ! là, là ! il imagine déjà…

La cloche de l'école sonne ! Les portes s'ouvrent. Tout le monde s'avance en riant, en papotant.

Thomas est terrorisé, mais pas question de le montrer ! Il rentre tout de même chez les grands ! Et un grand, ça n'a peur de rien ! Thomas avance en traînant des pieds, collé aux jambes de ses parents. Péniblement, il monte les escaliers…

Les voilà arrivés !

Ses parents le poussent doucement devant eux, et il se retrouve nez à nez avec… une petite dame, toute petite, toute menue, aux longues boucles rousses… Madame Toucru !

– Bonjour ! lui dit-elle. Je suis ta nouvelle maîtresse ! Mon nom est Isabelle. Et toi, comment t'appelles-tu ?

Thomas est tellement surpris qu'aucun mot ne sort de sa bouche.

– Il est trop mignon ! Mignon à croquer ! dit la maîtresse à ses parents.

Quoi? À croquer ? Cette fois-ci, c'en est trop ! Thomas doit connaître la vérité !

– Alors, tu vas me manger ? demande-t-il d'une voix étranglée.

La maîtresse sourit tendrement à Thomas, lui prend les mains, s'accroupit près de lui et chuchote :

– Tu sais, si les maîtresses mangeaient les enfants, ça se saurait depuis longtemps ! Mais je vais te dire un secret. Je suis une grande gourmande… de chocolat !

Ouf ! Le chocolat, Thomas adore ça !

Oh ! là, là ! il imagine déjà…

8.

Garde à vous, les poux !

Charlotte Moundlic, illustrations de Fabrice Parme,
mise en couleurs de Véronique Dreher

Les cheveux de Gustave sont vraiment magnifiques, parfois lavés,
jamais coiffés.

Ils sont si noirs et si épais que quand on joue à cache-cache, on est certain de gagner ! Dans ses boucles bien serrées, on peut se faire un nid douillet. Sur les mèches les plus longues, on glisse comme sur un toboggan.

Tous les poux du quartier rêvent d'y habiter. La liste d'attente ne cesse de s'allonger et, au sommet, on commence à être un peu serré. Mais ce n'est pas grave car la chevelure de Gustave est de

loin la plus belle de la cour de récré.

Oui mais voilà… ce matin, c'est la panique !
Cachée derrière une bouclette, la petite Marie-Rose n'en perd pas une miette ; elle doit prévenir les autres de ce qui vient d'arriver…

N'écoutant que son courage, elle bondit de mèche en mèche et arrive tout essoufflée.

– Ze ne sais pas ce qui se passe, LES GRANDES DENTS sont passées et les ont tous ézectés, même mon copain Poulux !

Puis, dans l'après-midi, deuxième alerte : Gustave s'est lavé les cheveux, depuis c'est dangereux pour les poux : ça sent trop mauvais le propre !

L'heure est grave, les poux doivent se rassembler, unir leurs forces pour résister. Ils ne se laisseront pas chasser !

Marie-Rose court prévenir son pépé.

– Partir ? ça jamais ! s'écrie Pépé. Je m'suis battu pour pouvoir m'installer dans ce quartier. Ce n'est pas à mon âge que je vais déménager !

La résistance s'organise et Pépé déclare que tous doivent s'entraîner :

– Mes p'tits gars, faut vous muscler ! Et sans tarder. Attrapez les mèches emmêlées et grimpez en vous servant des nœuds !

Les poux sont motivés et prêts à mener leur combat contre LES GRANDES DENTS, car c'est sûr, elles vont revenir !

Marie-Rose ne quitte plus son poste de surveillance, cachée derrière l'oreille, armée de son clairon, elle doit prévenir les autres en cas de danger.

Le lendemain, Marie-Rose sonne l'alerte : LES GRANDES DENTS arrivent…

– À mon commandement, avancez ! crie Pépé.

En rangs serrés, les poux résistent, bras dessus bras dessous, ils se cramponnent. Face à l'ennemi, ils luttent.

Oui mais voilà, le peigne passe et repasse si bien qu'à la fin, ils ne sont plus que 23. Les poux commencent à paniquer, à chaque coup de peigne, les effectifs diminuent.

– On ne peut pas continuer comme ça, dit Maman Tiff, vous allez voir qu'après ça, ils vont sortir l'artillerie lourde… Le petit sera tondu et nous, on sera fichus…

– Pour Gustave, ce n'est pas chic, ajoute Tonton Milon, lui si gentil qui ne nous a jamais fait d'ennuis, on ne peut pas laisser faire ça…
– Prenons la poudre d'escampette et sautons vite sur une autre tête ! dit la petite cousine Couette.
– Quand il se lave les cheveux, ça nous pique les yeux, continua Tatie Bigoudi. Avec son shampoing parfumé, ses cheveux sont trop pollués, ça nous fait éternuer. On doit s'en aller !
– Et pour dompter ses mèches rebelles, il va se mettre du gel, ajoute Parrain Rouflaquette, on aura les pieds collés et on ne pourra plus filer.

Tout le monde fait des commentaires, on ne s'entend plus parler.

Dans un coin, la petite Marie-Rose pleurniche :
– Mais moi, ze suis née ici, ze ne veux pas m'en aller…

Enfin, la décision est prise à l'unanimité : dès le lendemain ils partiront !

– Partons à l'aventure, retrouvons la nature, propose Tonton Milon.

– Courons dans la savane pour manger des bananes, ajoutent les uns.

– Allons dans le potager manger des fruits légers, concluent les autres.

Au petit matin, ils sont prêts à partir, lavés, coiffés, les baluchons ficelés. Même Pépé s'est laissé tenter. Tout seul, il avait peur de s'ennuyer, et puis, après tout, lui aussi peut s'adapter !

C'est dans le potager coquet du voisin d'à côté qu'ils s'installent.
Ils n'ont jamais vu la campagne et se sentent revigorés.

Même Marie-Rose rit aux éclats.

Pépé s'exclame :

– Adieu, bouclettes et autres frisettes, bonjour petits pois, haricots,
cerises et abricots !

Et c'est ainsi qu'un beau matin, nos poux devinrent végétariens !

9.

Loup ne sait pas compter

Nadine Brun-Cosme, illustrations de Nathalie Choux

Ce matin-là, Loup en a assez de courir après les lapins, les vaches et les cochons. Ce matin-là, Loup a envie de jouer.

Alors, au premier loup qui passe, il crie :

– Eh ! Loup Gris ! On joue ?

– Chic ! dit Loup Gris. J'adore jouer ! Jouons à cache-cache ! Tu comptes jusqu'à dix, moi je me cache.

Tout content, Loup se met à compter.

– **Un, deux, trois...**

Mais voilà. Après trois, il ne sait pas.

– Eh ! crie Loup. Après trois, qu'est-ce qu'il y a ?

Mais Loup Gris est parti se cacher bien trop loin, il n'entend rien.

– Eh ! crie Loup encore plus fort. Après trois, qu'est-ce qu'il y a ?

Loup crie si fort que Lapin montre son nez. Loup le connaît bien : il l'a beaucoup chassé sans jamais l'attraper !

– Tiens ! dit Lapin. Aujourd'hui tu ne m'attrapes pas ?

– Non, dit Loup. Aujourd'hui je compte.

– Et tu comptes quoi ? dit Lapin.

– Je compte quoi ? Je compte quoi ? s'énerve Loup. Je compte « **Un, deux, trois** ». Là, tu vois ? Mais… Lapin, dis-moi : après trois, qu'est-ce qu'il y a ?

– Après trois ? dit Lapin. Après trois, tu ne sais pas ?

Et Lapin se met à rire, à rire si fort qu'il en tombe par terre.

– Ah ah ah ! Loup ne sait pas compter !

– Chut ! Pas si fort ! dit Loup vexé.

Et il s'en va compter plus loin.

« **Un, deux, trois** »

Passe alors Cochon. Loup le connaît bien : il l'a souvent cherché sans jamais l'attraper.

– Tiens ! dit Cochon. Aujourd'hui tu ne m'attrapes pas ?

– Non, dit Loup. Aujourd'hui je compte !

– Et… tu comptes quoi ?

– Je compte, quoi, dit Loup qui s'énerve un peu. « **Un, deux, trois** », je compte, tu vois ? Mais… Cochon, dis-moi : après trois, qu'est-ce qu'il y a ?

– Après trois ? dit Cochon. Après trois, tu ne sais pas ?

Et Cochon part d'un grand rire, et il crie :
– Loup ne sait pas compter ! Loup ne sait pas compter !
– Chut ! fait Loup très contrarié.
Et il s'en va compter plus loin.

« Un, deux, trois »
C'est maintenant Vache qui montre son museau.
Loup la connaît bien : il l'a tellement guettée sans jamais l'attraper.
– Tiens, Loup ! dit Vache. Aujourd'hui, tu
ne m'attrapes pas ?
– Non, dit Loup. Aujourd'hui je compte !
Tu vois bien : « Un, deux, trois ». Voilà, je
compte.

– Un, deux, trois, dit Vache. Et… c'est tout ?
– C'est tout.
– Bon, dit Vache. Un, deux, trois. Pourquoi
pas.

Et comme elle commence à s'en aller, Loup murmure :

– Mais… dis-moi, Vache : après trois, qu'est-ce qu'il y a ?

– Après trois ? dit Vache. Après trois, tu ne sais pas ? Mais Loup, tu ne sais pas compter !

Et Vache part d'un gros rire, d'un si gros rire qu'elle tombe par terre, d'un si gros rire que Lapin et Cochon, qui n'étaient pas loin, se joignent à elle pour rire aussi.

– C'en est trop ! hurle Loup.

Et il bondit. Et, pour la première fois, il attrape Vache. Et il crie :

– Si vous ne m'aidez pas, je mange Vache !

– Bon bon bon, dit Cochon. Lâche Vache, on va t'apprendre.

Et il se met à chantonner :

– *Un, deux, trois, nous irons au bois…* Répète ! dit-il à Loup.

– *Un, deux, trois, nous irons au bois…*, chantonne Loup.

Et il lâche Vache. Et il s'assied par terre.

– *Quatre, cinq, six, cueillir des cerises, …* chantonne Lapin. Répète, Loup !

Et il s'assied un peu plus loin.

– *Quatre, cinq, six, cueillir des cerises…,* chantonne Loup.

Et il sourit, parce que c'est rigolo l'idée d'un loup qui s'en va au bois cueillir des cerises.

– *Sept, huit, neuf, dans un panier neuf…,* chantonne Vache. Répète, Loup !

Et elle s'assied près de Lapin pour mieux voir Loup, parce qu'elle n'a jamais vu un loup qui sourit.

– *Sept, huit, neuf, dans un panier neuf…,* chantonne Loup.

Et il sent le rire le gagner, parce qu'un loup qui porte un panier, ça, vraiment, il n'en a jamais vu !

– *Dix, onze, douze, elles seront toutes rouges !* chantent ensemble Vache, Cochon et Lapin. Répète, Loup !

Et Loup répète, en riant bien fort :

– *Dix, onze, douze, elles seront toutes rouges !*

– Et alors, crie Loup Gris qui surgit tout à coup. Mais qu'est-ce que tu fabriques ?

Et puis il voit Loup, et tout autour Vache, Lapin, Cochon. Et il s'élance. Aussitôt, Vache, Lapin et Cochon prennent leurs pattes à leur cou, et disparaissent.

– Mais, mais, mais… dit Loup Gris, tu les avais tous attrapés ?

– C'est pour ça que j'étais si long. Qu'est-ce que tu crois ? À cause de toi, voilà, ils se sont échappés ! Il n'y a plus qu'à recommencer ! Va te cacher ! crie Loup bien fort. Je compte !

Loup Gris s'éloigne tout penaud.

Alors Loup respire un grand coup, et tout haut, pour que tout le monde l'entende, il compte fièrement :

– **Un, deux, trois, quatre, cinq, six, sept, huit, neuf, dix, onze** et **douze**.

10.

Un ami pour Antoine

Kochka, illustrations de Claire Delvaux

Le matin, dans la maternelle d'Antoine, pendant le «quoi de neuf»,
chacun peut raconter ce qu'il veut. Antoine n'a jamais rien raconté.
Il garde toujours sa petite voix bien cachée.

La maîtresse est ennuyée :

– Et toi Antoine, on ne t'entend jamais ; n'as-tu pas quelque chose
à nous raconter ?

Mais Antoine secoue la tête, et pour faire croire qu'il ne s'ennuie
pas, et même qu'il est très occupé, il sort de ses poches des petits
papiers pliés.

À la récréation, Antoine s'assoit dans un coin. La maîtresse vient près de lui.

— Est-ce que tu veux bien me donner le secret de tes petits papiers pliés?

Antoine hésite, et puis il en sort un et le déplie.

Une tortue est dessinée et, dessous, le mot **« tortue »** est écrit.

— Comme c'est joli! dit la maîtresse. Est-ce que tu en as beaucoup comme ça?

— Dans ma poche, j'ai **« moto »** et **« ciseaux »**, mais à la maison j'en ai plein d'autres. Chaque jour, Papa m'en fait un.

— Ah bon, dit la maîtresse. Tu pourrais nous en montrer pendant le «quoi de neuf». Je suis sûre que la classe serait très intéressée.

— Non! répond brusquement Antoine.

Et il replie son papier.

Le lendemain, pendant le «quoi de neuf», la maîtresse annonce l'arrivée prochaine d'un nouvel élève qui s'appelle Kishor.

– Quel drôle de nom ! s'étonne Carole.

– C'est parce que Kishor vient d'Inde, explique la maîtresse. C'est très loin de la France. D'ailleurs, Kishor ne sait pas parler français. Cela va être difficile pour lui, il faudra beaucoup l'aider.

Alors tout le monde commente la nouvelle ; sauf Antoine qui reste silencieux.

Accroché à sa maman, Kishor arrive deux jours plus tard.

Les enfants lui disent bonjour, mais Kishor les regarde d'un air effrayé. Pourtant, en voyant Antoine caché derrière son pull, Kishor lui fait un sourire.

Alors sa maman lui dit quelque chose dans la langue de son pays ; puis elle s'adresse à Antoine :

– J'ai dit à Kishor de te regarder et de faire comme toi.

Puis la maman de Kishor s'en va, et Kishor s'assoit près d'Antoine. Maintenant qu'Antoine est le modèle de Kishor, il faut qu'il soit courageux !

À dix heures, Antoine emmène Kishor dans la cour, et il sort de sa poche trois petits papiers pliés.

– Lequel tu veux ? demande Antoine.

Kishor ne comprend pas.

– Ça, ça ou ça ? demande Antoine en montrant les dessins avec son doigt.

Kishor prend le mot **« avion »**, et Antoine dit :

– Avion.

Kishor répète après lui :

– Avion.

Antoine le félicite, et il range dans sa poche les papiers **« étoile »** et **« crayon »**. Mais il donne **« avion »** à Kishor.
Antoine et Kishor sont contents.

Le lendemain, en pensant à Kishor, Antoine a choisi trois mots dans sa boîte. Pour la première fois, il est très pressé de partir à l'école. Quand il arrive, Kishor est avec sa maman dans le couloir qui mène à la classe.

Antoine enlève son manteau.
– Bonjour ! dit Kishor en le voyant ; et il ajoute : avion !
Antoine lui sourit. Il est fier de Kishor, et il se sent lui-même plus fort. Il dit doucement à la maman de Kishor :
– À la maison, j'ai une boîte pleine de mots.

À dix heures, Kishor et Antoine partagent leurs goûters.

Puis Antoine plonge sa main dans sa poche. Kishor choisit d'apprendre le mot **« ami »**.

Le lendemain, il apprend **« baleine »**.

Les jours suivants, Kishor apprend **« chameau »**, puis **« soleil »** et **« château »**.

Un matin de printemps, quelques semaines plus tard, la maîtresse demande :

– Alors, quoi de neuf aujourd'hui ?

Kishor a fait des progrès en français. Il lève son doigt et annonce :

– Antoine est mon ami.

Alors le cœur d'Antoine se remplit d'un grand courage et, pour la première fois, il se lève et sa voix sort dans un grand : « OUI ! »

Tout le monde est surpris, et la maîtresse les félicite.

11.

Le supplice des 24 bisous

Didier Dufresne, illustrations de Philippe Diemunsch

Nous, la première fois que nous avons vu Huguette, c'était un mardi. Le petit bus de la bibliothèque venait de s'arrêter devant l'école. Notre maîtresse, madame Alix, nous avait rassemblés. Pas besoin de nous dire de faire vite ! On est si bien dans le camion des livres.

C'est là que nous l'avons aperçue, debout près de l'escalier.

L'escalier pliant, celui qui grince à l'arrière du bus.

Elle avait l'air timide, et était si petite…

Elle s'est approchée de la maîtresse, le doigt levé.

Nous nous sommes arrêtés de bavarder. Plus un mot. On ne regardait qu'elle. Elle n'avait même pas de cartable : elle portait seulement un grand panier d'osier.

Elle a parlé tout bas à la maîtresse.

Après, madame Alix s'est tournée vers nous, et a dit en souriant :

– Les enfants, aujourd'hui nous avons une élève de plus. Elle s'appelle Huguette.

Nous avons répondu, très polis :

– Bonjour, Huguette.

– Huguette va choisir des livres en même temps que nous, a ajouté madame Alix.

Huguette a posé le pied sur la première marche de l'escalier pliant. Elle donnait le bras à la maîtresse, et avait bien du mal à monter. Elle s'est retournée, et nous a dit :

– On n'est plus très souple, à 80 ans !

Nous, on sait compter jusqu'à bien plus que 100, mais 80, c'est déjà beaucoup quand même.

À petits pas, elle est entrée la première dans le bibliobus, et nous l'avons suivie…

Une fois à l'intérieur, on ne regardait plus qu'Huguette. On avait oublié les livres ! C'est Romain qui lui a parlé le premier :

– Si tu as 80 ans, tu dois savoir bien lire, hein ?

Elle a souri :

– Je me débrouille…

– Alors tu es pareille que nous, tu n'as qu'à demander à la maîtresse.

Madame Alix a dit que c'était vrai, que nous savions tous bien lire. Et tout le monde s'est mis à parler en même temps.

On voulait tous dire quelque chose à Huguette, mais elle a mis un doigt sur sa bouche, et a murmuré :

– Chut, vous allez réveiller les livres. Allons les choisir pendant qu'ils dorment encore.

Elle s'est mise sur la pointe des pieds (oui, oui, à 80 ans, sur la pointe des pieds !), et nous l'avons suivie jusqu'aux bacs pleins d'albums.

Là, c'est vrai, nous avons un peu oublié Huguette. Parce que, dans ce bus, on peut toucher les livres. On les regarde et on les ouvre avant de les choisir.

Il y en a même qui trichent et qui commencent à les lire !

Huguette nous avait abandonnés pour chercher des livres de grands sur les étagères du haut. Camille lui a demandé :
– Tu sais même lire les livres sans images ?
– Bien sûr, a répondu Huguette qui chargeait son panier d'osier. Et toi aussi, bientôt, tu sauras.

Huguette continuait à entasser des livres dans le panier.
– Tu vas lire tout ça ? a demandé Charles.
– Un par jour, mon bonhomme. Quand on est à la retraite, et qu'on est seul, on a le temps…

Louise lui a tendu un grand album en couleurs :
– C'est pour te reposer les yeux. Il n'y a que des images.
Huguette a promis :
– Je le lirai ce soir.

Les livres étaient choisis. Nous sommes sortis du petit bus. Olivier et Marine ont porté le panier d'osier. Qu'il était lourd ! La maîtresse a aidé Huguette à descendre. On a même failli oublier Sébastien : assis sur la moquette, il lisait un album en suçant son pouce.

Le bibliobus est parti en nous laissant deux grosses caisses de livres. Quand il reviendra les chercher, dans trois mois, nous aurons tout lu. C'est sûr !

Huguette nous a quittés en promettant de revenir.

– Je rapporterai mes livres un par un à l'école, a-t-elle dit. J'en profiterai pour vous dire bonjour.

Elle avait promis de revenir. Elle ne nous avait pas menti.

Jeudi matin elle était déjà là. Elle a rendu son premier livre, un gros, épais comme un dictionnaire.

– Tu l'as tout lu ? a demandé Julien.

– Et j'en ai commencé un autre, a répondu Huguette, toute fière. Mais elle était vite repartie.

– Je ne veux pas vous déranger, avait-elle dit.

Le lendemain, Huguette est revenue. Puis elle a pris l'habitude de venir tous les jours, à l'heure de la récréation.

– J'ai un livre à rendre, s'excusait-elle.

Elle en profitait pour parler avec la maîtresse. Elle a même appris à jouer à la balle au prisonnier avec nous !

Dès son arrivée dans la cour, Huguette devait subir, comme elle l'appelait, **"le supplice des 24 bisous"**. Le premier qui la voyait fonçait sur elle. Elle levait les bras au ciel, et faisait semblant d'avoir peur. Alors on l'embrassait tous, chacun à notre tour. C'est ça, **"le supplice des 24 bisous"** !

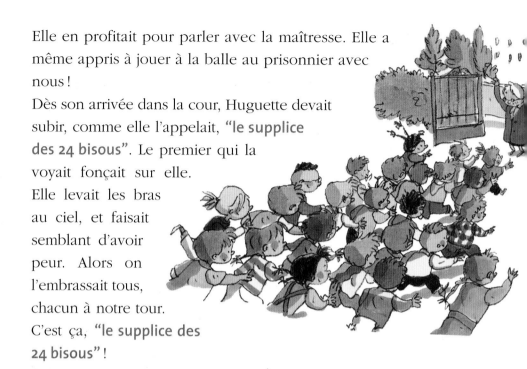

Un jour, il s'est mis à pleuvoir très fort. La maîtresse a dit à Huguette :
– Entrez donc cinq minutes.
Huguette a monté lentement les marches qui mènent à notre classe.
– Je remercie la pluie qui me fait entrer ici, a-t-elle dit en passant la porte.
Bien sûr, chacun voulait l'avoir près de lui, et on criait tous :
– Mets-toi là, Huguette…
– Viens t'asseoir ici…
– Non ! À côté de moi…

Tout à coup, on s'est arrêtés : Huguette avait un air bizarre.

– Tu es malade ? a demandé Amanda.

Mais Huguette n'entendait pas. Elle regardait autour d'elle en hochant la tête. Elle souriait… Puis elle a montré la vieille table de bois, celle où la maîtresse pose des plantes vertes :

– C'était ma table… Ma voisine s'appelait Charlotte…

Sa voix tremblait.

– On dirait que tu vas pleurer, a dit Marianne.

Huguette a sorti un mouchoir à carreaux plus que géant.

– Pardi, non ! je m'enrhume…

Elle s'est mouché très fort, avec un grand bruit.

La pluie s'était arrêtée, alors Huguette est partie.

Le lendemain, à l'heure de la récréation, nous guettions Huguette, mais elle n'est pas venue.

– Elle viendra cet après-midi, a dit Lucie.

Huguette ne s'est pas montrée non plus à la récréation de l'après-midi…

Les jours ont passé. Plus d'Huguette ! Nous étions très inquiets…

En classe, Amanda a levé le doigt et a demandé :

– Pourquoi elle ne vient plus, Huguette ? Elle est malade ?

– Elle n'a plus de livres à rendre, a expliqué la maîtresse. Elle a lu tous les livres qu'elle a empruntés.

– Elle va revenir quand, alors ? a demandé Louise.

– Dans deux mois, quand le bibliobus repassera, a répondu la maîtresse.

Deux mois ! Nous nous sommes tous regardés… C'était bien trop long ! Dans la cour, nous avons cherché comment faire revenir Huguette.

– Il faudrait lui faire boire une potion magique, a proposé Adrien.

– On pourrait lui téléphoner, a dit Émilie.

– Ou lui écrire une lettre…

Finalement, c'est Estelle qui a eu la bonne idée :

– Et si on allait cacher un livre de la bibliothèque dans sa boîte aux lettres ? Elle viendrait le rapporter à l'école.

On en a parlé à la maîtresse. Elle a souri et nous a même prêté un livre.

Antoine est le plus petit de la classe, mais il n'a peur de rien. Il a trottiné vers la maison d'Huguette, le livre serré contre lui. **Hop !** Voilà le livre dans la boîte. Il ne nous restait plus qu'à attendre…

Le lendemain après-midi, la maîtresse nous a demandé de faire des choses bizarres : décorer la classe, aller chercher des verres à la cantine, mettre les chaises en rond… Elle a sorti de l'armoire du fond un grand gâteau et des bouteilles de jus de fruits.

Nous nous sommes tous regardés. Un anniversaire ? Non, impossible, celui de Thibaud est passé, et celui de Cindy n'est que le mois prochain… Ce n'était pas non plus la veille des vacances… Pour qui était donc ce mystérieux goûter ?

On a frappé à la porte…

Toutes les têtes se sont tournées. La porte s'est ouverte…
Une reine est entrée : elle portait une belle robe bleue
et un collier de vraies perles. Ses cheveux blancs
étaient tout brillants, avec des reflets bleus…
C'était Huguette, c'était elle !
Elle a brandi le livre avec un air de reproche :
– Qui a osé mettre ce livre dans ma boîte
aux lettres ? Hein ! Petits misérables.

Mais nous avons bien vu que ses yeux riaient, et nous avons crié tous ensemble :

– C'est nous !

La fête a été très réussie. Huguette a repris trois fois du gâteau. Ensuite, elle s'est assise derrière le bureau. La maîtresse s'est mise sur une petite chaise.

Alors Huguette nous a raconté l'école d'avant et son amie Charlotte... Des histoires d'il y a si longtemps que la maîtresse n'était même pas née...

Oui, Huguette avait été une petite fille.

Elle était allée à l'école autrefois, avec son amie Charlotte. Dans sa classe, on écrivait à la plume. On était bien, près du gros poêle, quand dehors il faisait froid. Et qu'elle était jolie, la maîtresse, quand elle racontait l'histoire des reines et des rois...

Mais c'était déjà l'heure...

Avant qu'elle parte, on a fait signer un papier à Huguette. C'était marqué :

> *Je dois venir vous voir tous les jours à l'école. Huguette*

Elle a signé, et a fouillé dans son sac à main.

On pensait qu'elle allait encore souffler dans le mouchoir géant…

Mais elle a sorti un gros sac de bonbons.

Alors nous lui avons fait subir **"le supplice des 24 bisous"** !

12.

Un carnaval formidable

Odile Hellmann-Hurpoil, illustrations de Madeleine Brunelet

Cet après-midi, on fête carnaval à la maternelle. La maîtresse apporte deux grandes malles et s'exclame :
– Voici des déguisements !

Hervé, Marion, Nestor, Rosine, Louise, Esther, Gaëtan, Bastien et Manuel, les grands, farfouillent pour trouver le costume de leur choix.

Pendant ce temps, la maîtresse habille les petits, ravis, en lutins de toutes les couleurs.

Hervé se saisit d'une tenue de scaphandrier. Son copain Bastien la veut aussi. Ils tirent chacun de leur côté.

Hervé tord le bras de Bastien qui s'écrie :
– Bah ! Tu peux le garder ton habit, j'en veux plus !

Hervé se tortille pour entrer dans la combinaison. Oh ! là, là ! ça le serre. Les grosses chaussures de plongée sont un peu étroites, et il doit forcer pour mettre le casque.

Qu'importe, il est méconnaissable, lui !
On ne voit même pas la couleur de ses yeux à travers le hublot.

Les autres élèves, ce n'est pas pareil :
la ballerine, c'est Rosine, le sultan,
Gaëtan, le dinosaure, Nestor.

Louise est en marquise, Bastien en magicien, Manuel en polichinelle, Esther en sorcière et Marion en papillon.

Et, dans la bande des lutins, on peut reconnaître chaque petit à sa frimousse !

– Vous êtes tous magnifiques ! déclare la maîtresse. Nous allons faire le tour du quartier et tout le monde pourra vous admirer.

Les passants et les commerçants applaudissent les enfants.

L'apprenti boulanger leur lance des confettis. Esther en avale de travers et Manuel en a dans le nez.

Hervé rit dans son casque :

« Ah ! Ce n'est pas à moi que ça risque d'arriver… »

Brrr... il fait frisquet.

Rosine grelotte et Marion frissonne. La maîtresse les couvre d'un blouson. Rosine ronchonne, son tutu est écrasé. Marion pleurniche, ses ailes sont chiffonnées. Hervé est bien au chaud dans sa combinaison. Il se moque des filles.

Le vent se lève.

Le chapeau de Bastien s'envole et Gaëtan tient à deux mains son turban.

La pluie s'en mêle.

Hervé, qui se sent dans son élément, est tout content. Mais les écailles du dinosaure se décolorent et la perruque de la marquise se défrise.

Tout le monde retourne vite s'abriter en classe.
La maîtresse met de la musique :
– Nous allons danser pour nous réchauffer !
Aussitôt, Rosine démarre une farandole endiablée, puis Bastien prend la tête du petit train, et Louise conduit la chenille.

Hervé reste assis sur un banc. Il a bien trop mal aux pieds pour danser !

Hervé observe le dinosaure et la sorcière se trémousser, le polichinelle secouer sa bosse en cadence, les lutins bondir dans tous les sens...

Les dames de service apportent de l'orangeade et des beignets.
« Miam... miam... que c'est bon ! »

Hervé est bien embêté, le hublot de son casque est coincé. Il ne peut ni boire ni manger, pourtant il adore les beignets. Et il transpire dans son scaphandre...

– Maîtresse, maîtresse, au secours...
Mais la maîtresse ne l'entend pas.

Elle ouvre la porte à l'apprenti boulanger chargé d'une corbeille de chouquettes.
Le jeune mitron observe Hervé :

– Et bien, celui-là, même sa mère ne le reconnaîtrait pas. Il est si bien déguisé !

Alors, Hervé a très peur :

«Si Maman ne me reconnaissait pas et me laissait là, cette nuit, prisonnier de mon habit… »

Hervé étouffe, il suffoque, il sanglote, se démène et s'énerve tant, qu'il ne peut plus retirer son casque.

Il casse la fermeture Éclair de la combinaison,
emmêle les attaches des souliers.

Il appelle :

– Maîtresse, maîtresse, au secours...

Mais la maîtresse ne l'entend pas.

Elle réajuste les déguisements :
c'est l'heure des

mamans.

Bastien vient à l'aide de son
copain. Il tire sur le casque.
« Aïe... Aïe... Aïe... ça fait mal ! »

En entendant Hervé hurler, la
maîtresse se précipite, mais la
maman d'Hervé entre en classe
et se dirige, sans hésiter, vers le
scaphandrier.

Elle dit en riant :

– Tu dois cuire là-dedans, mon chéri !

Et, en trois tours de main, elle dépouille Hervé de son
harnachement.

Hervé essuie ses larmes et demande d'une petite voix :
– Dis Maman, comment tu as fait pour me reconnaître ?
– Voyons Hervé, une maman reconnaît toujours son enfant !
répond-elle en l'embrassant.

Hervé remet son jean, son pull et ses baskets.
Ouf ! Il se sent bien.
La maîtresse lui apporte un grand verre d'orangeade et le reste des
chouquettes.
Bastien lui offre les beignets qu'il avait cachés dans les poches de
sa cape.
Hervé murmure à l'oreille de son copain :
– La prochaine fois, on ne se disputera pas pour un habit, surtout
si c'est celui d'un chevalier en armure…

13.

Les lettres de Biscotte Mulotte

Anne-Marie Chapouton, illustrations de Martine Bourre

Un matin, la maîtresse a trouvé une lettre sur son bureau :

Chers enfants,

Je m'appelle Biscotte. Je suis une mulotte et j'habite dans le mur de votre classe. L'entrée de mon trou est juste sous l'armoire.

Souvent, je vous regarde et je vous écoute pendant la classe.
Et la nuit, quand tout le monde est parti, je sors et je me promène sur
les bureaux. Mais je ne fais pas de crottes, c'est promis : ça donnerait
trop de travail après pour la dame qui nettoie.
Écrivez-moi, et mettez l'enveloppe près de l'armoire.

Bisous moustachus,

Biscotte Mulotte.

Les enfants crient de joie quand la maîtresse leur lit la lettre.
Ils se précipitent à quatre pattes près de l'armoire. Ils voient le trou.
Ils crient très fort tous ensemble :
– Biscotte Mulotte ! **Hou hou !** Réponds-nous !
Mais il n'y a pas de réponse.
Alors, les enfants disent :
– Il faut écrire à Mulotte ! Il faut écrire à Biscotte !
Maîtresse, Maîtresse, écris ce qu'on te dit.
– Dis-lui que je l'aime cette Biscotte !
– Maîtresse, dis-lui que mon pépé
m'a donné un petit chien !

– Dis-lui que je sais faire du vélo sans les petites roues !
– Demande-lui si elle écrit avec ses griffes !
Et la maîtresse prend un crayon et un papier, en disant :
– Pas tous à la fois !
Et elle se met à écrire ce que disent les enfants.
Et puis après, on pose la lettre devant le trou.

Le lendemain, Mulotte a répondu : il y a une autre lettre sur le bureau.
On s'assied par terre sur le tapis, et la maîtresse lit la lettre.
Mulotte raconte qu'elle habite dans le grand tuyau à côté de la cheminée. Qu'elle a un papa, une maman, et aussi un oncle Molette qui vit avec eux, et qui est très grognon.

Et puis elle leur dit qu'elle n'écrit pas avec ses griffes, parce que ça ne serait pas pratique. Elle a trouvé un stylo à bille par terre dans la cour, et elle le serre très fort entre ses pattes.
Elle écrit très lentement, mais ça marche !

Les enfants lui répondent en lui envoyant dans une enveloppe un gros paquet de dessins.

Le lendemain, il n'y a pas de réponse. La lettre a bien disparu, mais Biscotte n'a pas répondu.

Le jour suivant non plus. Les enfants sont bien déçus.

Alors, en attendant, ils fabriquent une boîte aux lettres pour

la Mulotte : c'est une pochette en papier punaisée au mur, à côté de l'armoire. Pas trop haut, bien sûr, pour que Biscotte n'ait pas à se fatiguer à grimper.

Sur la pochette, les enfants font plein de décorations avec des papiers de couleur qui collent. Dessus, la maîtresse a écrit : biscotte mulotte.

Les jours passent. Et un matin de décembre, les enfants rentrent dans la classe en soufflant sur leurs doigts rouges.

Là, dans la boîte aux lettres, il y a une lettre. Biscotte a répondu.

– Vite, vite, Maîtresse, lis, lis !

Mes chers petits amis,

J'ai été malade avec une angine. Maman m'a soignée. Maintenant, ça va mieux.

Vous voulez savoir comment je fais pour vous écrire ? Eh bien, souvent, quand la maîtresse écrit au tableau, moi, je regarde par mon petit trou. Et comme ça, j'ai appris à écrire et à lire.

Mais n'essayez pas de m'apercevoir par mon trou. Je suis très très timide. Le premier jour, vous m'avez fait peur en criant si fort. J'ai eu des battements de cœur.

Merci pour la boîte aux lettres, elle est très belle. Et aussi pour les dessins. Mais faites-moi des lettres et des dessins petits : sinon je dois tout plier pour les rentrer dans mon trou.

> *Bisous moustachus,*
>
> *Biscotte Mulotte.*

– Pauvre Biscotte ! disent les enfants. Elle a pris froid.
Alors ils s'amusent à lui faire des tas de petits habits en papier de couleur. Des manteaux, des chapeaux, et même des petites bottes. Ça la fera rire, la Mulotte !

Et puis ils mettent les habits dans une enveloppe, et ils font écrire à la maîtresse :
« C'est pour toi, Biscotte,
pour bien t'habiller
et pour te faire
rigoler. »

Le lendemain matin, l'enveloppe n'est plus là. Biscotte l'a prise.
À l'heure du goûter, les enfants déposent de petites miettes de
leurs biscuits, et ils disent doucement devant le trou :
– C'est pour toi, Biscotte.

Le lundi matin, les enfants sont bien étonnés : Biscotte n'a pas
encore répondu. Ils lui avaient fait des cadeaux. Et c'est malpoli
de ne pas répondre pour leur dire merci.
Un enfant s'aplatit pour regarder sous l'armoire et il appelle, pas
trop fort :
– Biscotte, pourquoi tu ne réponds pas ? On t'a fait des cadeaux
d'habits, et tout ça et...
Mais il s'arrête et se met à crier :
– Maîtresse, Maîtresse, le trou de Mulotte ! Le trou de Biscotte ! On
l'a bouché.

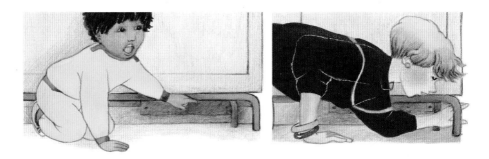

– Pas possible, dit la maîtresse.

Et elle s'aplatit par terre, elle aussi, pour regarder.

– Ah ! Malheur ! dit-elle. C'est l'électricien. Il a arrangé les fils, et il les a recouverts avec une grosse planche le long du mur. Juste là où il ne fallait pas.

Les enfants crient :

– Biscotte ! T'en fais pas ! On va te sauver la vie ! N'aie pas peur !

Les enfants veulent aller chercher l'électricien, le maire, les pompiers.

Mais la maîtresse leur dit :

– Attendez ! Laissez-moi faire.

Elle tire un peu sur la planche. Et petit à petit, elle arrive à l'écarter du mur.

– Voilà. Ne disons rien à personne. Il ne faudrait pas fâcher l'électricien. Nous verrons bien si Biscotte arrive à se glisser. Attendons jusqu'à demain.

Le lendemain, merveille, il y a une lettre de Biscotte :

Mes chers petits amis,

Comme j'ai eu peur de ne plus pouvoir aller dans votre classe ! Je vous ai entendus me crier : « On va te sauver la vie, Biscotte. » Vous avez très bien écarté la planche et maintenant, je peux passer. Vous savez, une mulotte, ça s'aplatit presque comme une galette et ça se faufile un peu partout.

Je ne vous ai pas encore raconté que souvent, avec mes parents (et l'oncle Molette grognon), nous sortons par le toit en haut, et nous allons nous promener dans le village.

J'ai une cousine, qui s'appelle Tartine, et qui habite dans le clocher. Pas celui de l'église, mais celui de la vieille pendule, qu'on appelle la boîte à sel. J'aime bien aller voir Tartine.

Mais ces jours-ci, je ne sors pas : j'ai encore attrapé un rhume, je me mouche et j'éternue toute la journée.

Bisous moustachus,

Biscotte Mulotte.

Quand les enfants répondent à Biscotte, ils décident avec la maîtresse de lui faire une surprise : des petits mouchoirs en papier découpés bien carrés, avec des dessins dessus, ou des lignes de toutes les couleurs, ou des petits carreaux.

Chaque enfant fait un mouchoir. Certains en font même deux.

Et puis, comme il fait très beau, les enfants vont se promener, comme les mulots, dans le village, avec la maîtresse.

De loin, ils aperçoivent la boîte à sel. Ils s'approchent, le plus près possible. Ils essaient de voir Tartine et appellent :

– Tartine ! Tartine !

Mais Tartine ne répond pas. Peut-être qu'elle est enrhumée elle aussi. Deux enfants crient :

– Je l'ai vue.

– Je crois que je l'ai vue !

Les autres se dévissent le cou mais ne voient rien.

Quelques jours plus tard, Biscotte leur écrit pour les remercier des mouchoirs.

Mes chers petits amis chéris,

Les mouchoirs m'ont fait très plaisir, et m'ont beaucoup servi. Surtout parce que j'ai fait une grosse bêtise et que l'oncle Molette m'a filé une grosse fessée et que j'ai pleuré pendant quatre heures.
Est-ce que vous faites des bêtises vous aussi ?
Bisous moustachus,
Biscotte Mulotte.

Oh là, là ! Oui ! Eux aussi, ils en font des bêtises ! Ils répondent tous ensemble et la maîtresse a tout juste le temps d'écrire :

– Moi, je veux jamais aller au lit.

– Moi, j'ai cassé une assiette.

– Moi, j'ai cassé mon vélo.

– Moi, je sors tous mes jouets et je joue pas.

– Moi, je mets tout par terre.

– Moi, la nuit, je fais pas de bêtises...

Et puis aussi, ils disent à Biscotte de faire attention à Angélo, le chat de l'école, des fois qu'il se promènerait la nuit dans la classe.

Après les vacances de Noël, Biscotte met de nouveau longtemps à leur écrire. Enfin, elle dépose une lettre où elle raconte qu'elle a eu encore un gros malheur : elle s'est foulé la patte en glissant avec Tartine dans la boîte à sel.

Maintenant, elle va mieux.

Alors, ils lui racontent leurs malheurs à eux.

– Moi, je suis tombé du vélo, je me suis fait mal au genou.

– Moi, mon pépé est mort. Je suis triste. Je l'aimais bien.

Et puis, ils lui posent des questions :

– Biscotte, est-ce que tu nous écriras jusqu'à ce qu'on soit morts ?

– Pourquoi tu ne nous apportes pas encore plus de lettres ?

Et ils lui mettent dans l'enveloppe plein de beaux dessins au feutre.

Pendant le mois de janvier, les enfants font beaucoup de cadeaux à Biscotte :

– de la ficelle dorée

– des petits morceaux de beaux papiers de Noël

– des bouts de fruits confits

– des miettes de galettes des rois

– et surtout de belles couronnes de rois toutes petites, juste à la taille d'une tête de mulotte.

Ils lui écrivent :

« Mulotte, il faudra bien les plier un peu pour les rentrer dans ton trou, mais après, les plis s'en iront et tu seras très belle avec. »

Mulotte leur répond que c'est vrai : les couronnes lui vont drôlement bien.

Au mois de février, le temps se gâte. La pluie se met à tomber. Elle tombe pendant toute une semaine.

Et Biscotte écrit ce que la pluie a fait dans son trou :

Mes petits amis chéris,

Nous avons été INONDÉS.
Toute notre réserve de graines a été mouillée. Mes parents sont furieux, et l'oncle Molette a juré avec de vilains mots.
Mais moi, au fond, je trouve ça drôle : toutes les graines mouillées ont germé, et ça nous fait plein de plantes vertes dans notre trou.
Bisous moustachus,
Biscotte Mulotte.

Les enfants répondent à Biscotte en lui racontant qu'il y avait plein d'eau dans leurs maisons à eux aussi, plein de flaques qui passaient sous les portes et des gouttières qui fuyaient.

Mais c'est dommage : ils n'ont pas de réserves de graines et c'est moins drôle.

Alors, avec la maîtresse, ils ont une idée.

Et le lendemain, ils apportent :
– des pois chiches

– du blé

– des haricots

– des lentilles...

Et la maîtresse met du coton et de l'eau dans des soucoupes.

Jour après jour, les enfants surveillent les graines qui germent, qui poussent, et qui font une petite forêt verte, comme chez Biscotte.

Les amandiers sont en fleur maintenant. Le soleil réchauffe la terre.
Il y a des tulipes dans la cour. C'est le printemps.
Les enfants décident d'écrire tout seuls, sans la maîtresse, en utilisant l'imprimerie : **biscotte mulotte**
Ils l'impriment en rouge, tout au milieu d'une feuille. C'est superbe.

Ils envoient la feuille à Biscotte.

C'est la première fois que Biscotte va voir son nom imprimé, elle sera sûrement très fière.

Mais la lettre que les enfants trouvent le lendemain n'est pas joyeuse comme le printemps.

Mes petits amis chéris,

*Je vais partir. Je vais déménager avec mes parents. Et aussi,
bien sûr, oncle Molette.*

*Le docteur dit que j'attrape trop de rhumes, et que je dois aller
habiter dans un pays chaud.*
*Nous allons partir pour la Tunisie. Mon papa a un cousin qui
habite sur un bateau. Alors nous prendrons un camion de
légumes et nous irons à Marseille et nous monterons sur le bateau.
Nous traverserons la Méditerranée.*
*Je serai bien triste de ne plus vous voir. Mais peut-être qu'un jour
je reviendrai.*

Bisous moustachus,

Biscotte Mulotte.

Alors les enfants crient :
– NON ! NON ! NON !

– Il ne faut pas que tu partes.

– Tu auras le mal de mer en bateau.

– Guéris-toi vite et reviens.

La maîtresse écrit ce que les enfants disent, et puis ils signent leur nom tout seuls, car tous savent bien l'écrire.

Maintenant, il n'y a plus de lettres dans la boîte. Biscotte Mulotte est partie.

Les enfants parlent de la Tunisie et de l'Afrique avec la maîtresse. Ils regardent la grande carte, et la mer toute bleue qui les sépare de Biscotte.

Ils imaginent Biscotte sous les palmiers, en train de manger des dattes.

Et puis ils font une grande grande peinture, tous ensemble, sur un grand carton. Une peinture avec plein de mulottes dessus.

Ils l'accrochent dans la classe, et ils se disent :

« Peut-être qu'un jour, Biscotte Mulotte reviendra. »

Pour découvrir
les merveilleuses histoires
du Père Castor